Copyright © 2003 Uitgeverij Clavis, Amsterdam - Hasselt
Dual language copyright © 2004 Mantra Lingua
First published in 2003 by Uitgeverij Clavis, Amsterdam - Hasselt
First dual language publication in 2004 by Mantra Lingua
All rights reserved
A CIP record for this book is available from the British Library.

Published by Mantra Lingua
5 Alexandra Grove, London N12 8NU
www.mantralingua.com

Floppy'nin Arkadaşları

Floppy's Friends

Guido van Genechten

Turkish translation by Talin Altun

mantra

Her gün okuldan sonra Floppy dışarıda
arkadaşları ile oynardı.
Floppy'nin her boyda ve her renkte
arkadaşı vardı...

Every day, after school,
Floppy went out to play
with his friends.
Floppy's friends were all
sizes and colours but…

...ama onlar sadece kendilerine
benzeyen tavşanlarla oynardı.

they only ever played with the rabbits
who looked like them.

"Keşke hepimiz bir oynayabilsek,"
diye düşünürdü Floppy.

"I wish we could all play together,"
thought Floppy.

Önce Floppy beyaz tavşanlarla Havucu Düşürmemek
oynunu oynamaya koştu.

First Floppy ran to play don't-drop-the-carrot
with the white rabbits.

Floppy havucu bir kere bile düşürmedi,
tek ayak üstünde hoplarken bile.

Floppy didn't drop the carrot once,
not even when he hopped on one leg.

Sonra Floppy gri tavşanlarla Uçurtma oynunu oynadı.
"Yukarı, yukarı ve ileri," dedi Floppy. "Ama inişte dikkatli ol."

Next Floppy played fly-a-kite with the grey rabbits.
"Up, up and away!" chanted Floppy. "But watch your landing."

Kahverengi tavşanlar ile Floppy kurbağalama atladı.
"Yukarı zıpla ve üstünden atla!" diye şarkı söyledi.

Then Floppy played leapfrog with the brown rabbits.
"Jump up and jump over!" chanted Floppy.

Son olarak Floppy siyah
tavşanlarla tren oyununu oynadı.
"Ben sürücü olabilirmiyim?" diye sordu Floppy.
"Tamam," dedi siyah tavşanlar. En son Floppy
trenin ortasındayken nasıl çarpıştıklarını hatırladılar.

Finally Floppy played trains with the black rabbits.
"Can I be the driver?" asked Floppy.
"Ok," said the black rabbits. They remembered the last time Floppy
was in the middle of the train, he caused the most enormous crash!

Ertesi günü ağacın altında yalnız bir tavşan duruyordu.
Ne beyazdı ne de gri. Ne kahverengi ne de siyahtı.
Kahverengi ve beyaz benekliydi.
Bütün tavşanların ne kadar eğlendiğini görüp
onlarla oynamak istiyordu.
Ama yeni olduğu için kimseyi tanımıyordu ve
oyunları bilmiyordu.

The next afternoon under a tree stood a lonely little rabbit.
He wasn't white and he wasn't grey. He wasn't brown and he wasn't black.
He was dappled brown and white.
He watched all the rabbits having fun and wished that he could join in.
But being new he didn't know anybody and he didn't know their games.

Floppy yeni tavşanı görünce yanına gitti.
"Merhaba, benim adım Floppy. Senin adın ne?"
"Samy," diye cevap verdi benekli tavşan.
"Gel bizimle oyna," dedi Floppy.
"Ama sizin oyunlarınızı bilmiyorum ben,"
diye cevap verdi Samy.
"Merak etme, ben sana öğretirim,"
dedi Floppy.

When Floppy saw the new rabbit he
went over to him. "Hi, I'm Floppy.
What's your name?" he asked.
"Samy," said the dappled rabbit.
"Come and play," said Floppy.
"But I don't know how to play
your games," said Samy.
"Don't worry. I'll show you,"
said Floppy.

Floppy Samy'e Havucu Düşürmemek oynunu gösterdi.
Floppy havucu kafasına koyup yürümeye başladı.
"Harika!" dedi Samy.

Floppy showed Samy don't-drop-the-carrot.
Floppy put the carrot on his head and off he went.
"Cool," said Samy.

Samy'nin sırası geldi. O da havucu kafasına koydu.
"Bak, gördün mü çok kolay!" dedi Floppy.

Then it was Samy's turn. He put the carrot on his head.
"See, it's easy!" said Floppy.

"Ben harika bir oyun biliyorum," dedi Samy,
"Hopla-dur-ıslık çal."
"O nasıl oynanır?" diye sordu Floppy.
"Önce hopla, sonra dur sonra da ıslık çal."
Floppy güldü, "Harika!"

"I know a really cool game,"
said Samy, "skip-stop-whistle."
"How d'you play that?"
asked Floppy.
"You skip, stop and whistle:
WHEEEE!"
"Cool!" laughed Floppy.

Diğer tavşanlar bu ikisinin ne yaptığını görmeye geldi.
"Bu Samy," dedi Floppy.
"Samy? Adı Lekeli olmalıydı,"
diye dalga geçti büyük
tavşanlardan biri.
Floppy ve Samy dışında
herkes güldü.

The other rabbits came to see what was going on.
"This is Samy," said Floppy.
"Samy," giggled a big rabbit. "He should be called Spotty."
They all laughed, all except Floppy and Samy.

"Lekeli, Lekeli, Samy Lekeli!" diye şarkı söylemeye başladı diğer tavşanlar.

"Spotty! Spotty! Sa-my is spo-tty!" the other rabbits chanted.

"Durun!" diye bağırdı Floppy.
"Samy harika bir oyun biliyor."
"Öyle mi? Neymiş?"

"Stop it!" shouted Floppy.
"Samy knows a really cool game."
"Oh yeah! What's that?"

"Kafanda-havuç-uçurmayı-uçur-trenin-üzerinden-
kurbağalama atla hem de hopla, dur ve ıslık çal."
"Peki nasıl oynanır o?" diye sordu
büyük tavşan.

"Fly-a-carrot-kite-leapfrog-on-the-train
with a skip, stop and whistle."
"How d'you play that then?"
asked the big rabbit.

"Kafana havucu koy, uçurmayı uçur-trenin-üzerine-kurbağlama
atla, hopla, dur ve ıslık çal."
Bütün tavşanlar Samy'nin harika oyununa katıldı.

"Well," said Floppy. "You put a carrot on your
head, fly-a-kite, leapfrog-on-the-train,
skip, stop and whistle: WHEEEE!"
All the rabbits joined in
Samy's cool game.

Ve Floppy'nin BÜTÜN arkadaşları beraber oynadı.

And ALL Floppy's friends played together!